SHORT STORIES IN ENGLISH/ITALIAN

UNLOCK IGNITE & TRANSFORM YOUR LANGUAGE
SKILLS WITH CONTEMPORARY ROMANCE

LAURA MARIANI

PEOPLE
ALCHEMIST

ABOUT THE AUTHOR

Laura Mariani is best selling Author, Speaker and Entrepreneur.

Laura is a Fellow of the Chartered Institute of Personnel & Development (FCIPD), Fellow of the Australian Human Resources Institute (FAHRI), Fellow of the Institute of Leadership & Management (FInstLM), Member of the Society of Human Resources Management (SHRM) and Member of the Change Institute.

Laura writes non-fiction positive psychology success books for women in business and contemporary romance focusing on city life rom-com and billionaire romance books with a dabble in office romance.

Well, after all that hard work climbing the career ladder, you need to have some fun!

She writes strong female characters with backbone, big hearts and a stubborn streak. Every story has a happy ever after or a happy for now, and will make you laugh, gasp and cry a little.

Unless you have no sense of humour ;-).

Laura is based in London, England and, when she is not writing, she loves travelling, painting and drawing, tennis, rugby, and of course fashion (the Pope is Catholic after all).

SULL' AUTRICE

Laura Mariani è un'Autrice di best seller, Oratrice pubblica e Consulente.

Laura è Fellow del Chartered Institute of Personnel & Development (FCIPD), Fellow dell'Australian Human Resources Institute (FAHRI), Fellow dell'Institute of Leadership & Management (FInstLM), Membro della Society of Human Resources Management (SHRM) e membro del Change Institute.

Laura scrive saggistica sul successo e psicologia positiva per donne nel mondo degli affari e anche storie d'amore contemporanee, concentrandosi su commedie romantiche con sottofondo la vita di città e un tocco di affari clandestini in ufficio.

Dopo tutto quel duro lavoro e impegno sulla carriera, uno si devie divertire un po'!

Laura scrive personaggi femminili forti con spina dorsale, cuore grande e una vena testarda.

Ogni storia ha un lieto fine o almeno un finale felice per ora, e ti farà sussultare, piangere e ridere un po' - a meno che tu non abbia il senso dell'umorismo ;-).

Lei vive a Londra, in Inghilterra e, quando non scrive, ama viaggiare and dipingere, seguire il tennis, rugby e, naturalmente, è appassionata di moda (dopo tutto il Papa è cattolico).

Sign up for her newsletter at www.thepeoplealchemist.com and stay up to date on all latest Laura book news and blog.

You can also follow her on

www.thepeoplealchemist.com
@PeopleAlchemist
instagram.com/lauramariani_author

Iscriviti alla sua newsletter su www.thepeoplealchemist.com e rimani aggiornato su tutte le ultime notizie sui libri e sul blog di Laura.

Puoi anche seguirla su

www.thepeoplealchemist.com
@PeopleAlchemist
instagram.com/lauramariani_author

ThePeopleAlchemist Press pubblica libri, risorse e prodotti di self-help, d' ispirazione e trasformazione per aiutare #**TheWomanAlchemist** in ogni donna a cambiare la sua vita/carriera e trasmutare qualsiasi circostanza in oro, un po' come per magia per **Unlock Ignite Transform**.

ISBN: 978-1-915501-50-9

INTRODUCTION

Welcome to the series **Unlock Ignite & Transform** your language skills reading short stories.

When we are born, every possibility exists to pronounce and learn every sound in every language. But early on, our brains lay down neural pathways that interweave with the sounds we hear daily, eliminating sounds and words from other languages.

The **Unlock Ignite Transform** series aims to unlock the power of your subconscious mind and assist in resurfacing those abilities that have always been at your disposal.

Our subconscious is ready to execute any message we send and reproduce it in our physical reality, like a printer.

In this book, you will not find any dictionary, synonyms or grammar points because that would signal to your subconscious mind that you are *learning* and *practising* a new language.

Instead, we want to send the message that you are *reading* in two languages because you *already know them* both and you

INTRODUZIONE

Benvenuto alla series **Unlock Ignite & Transform**a le tue abilità linguistiche leggendo racconti.

Quando nasciamo, esiste in noi ogni possibilità di pronunciare e imparare ogni suono in ogni lingua. Ma presto i nostri cervelli stabiliscono percorsi neurali che si intrecciano con i suoni e parole che ascoltiamo quotidianamente, eliminando suoni e parole di altre lingue.

La serie **Unlock Ignite Transform** ha lo scopo di sbloccare il potere del vostro subconscio e aiutarvi a far riemergere quelle abilità che sono sempre state a vostra disposizione.

Il nostro subconscio è pronto a eseguire qualsiasi messaggio che inviamo e riprodurlo nella nostra realtà fisica, come una stampante.

In questo libro non troverete alcun dizionario, sinonimo o punto grammaticale perché ciò segnalerebbe al vostro subconscio che state *imparando* e *praticando* una nuova lingua.

Invece, vogliamo inviare il messaggio che state leggendo in

are *bilingual.*

The series offers parallel text in both English and Italian to enjoy contemporary literature in both languages (there is no need to constantly refer back to a dictionary because you *already ARE bilingual*).

The more you get the message to your subconscious mind that is *normal* for you to read either language, the more your subconscious will try to demonstrate to you that this is indeed correct.

The third short story in the series is **Searching for Goren.**

Ruthlessly independent and determined to remain that way, Gabrielle struggles to make sense of her chaotic life. Growing up in a small coastal town, she finds herself in a constant battle between self-reliance and the desire for a strong man. During her New York sabbatical, she must confront the deeper reasons why she has been so unwilling to open her heart.

Happy reading!

due lingue perché *le conoscete già entrambe e siete bilingue.*

La serie offre testi paralleli sia in inglese che in italiano per godersi la letteratura contemporanea in entrambe le lingue (non c'è bisogno di fare costantemente riferimento a un dizionario perché *SEI già bilingue*).

Più il vostro subconscio riceve il messaggio che è normale per voi leggere in entrambe le lingue, più cercherà di dimostrarvi che questo è davvero corretto.

Il terzo racconto incluso in questo serie è **All Ricerca di Goren.**

Spietatamente indipendente e determinata a rimanere tale, Gabrielle fatica a dare un senso alla sua vita. Cresciuta in una piccola città costiera, si trova in una costante battaglia tra l'auto-sufficienza e il desiderio di un uomo forte. Durante il suo sabbatico a New York, deve affrontare le ragioni più profonde per cui è stata così riluttante ad aprire il suo cuore.

Buona lettura!

Reality can be so much better than fantasy.
If you'd only let it.

La realtà può essere molto meglio della fantasia.
Se solo noi lo permettessimo.

PREFACE

What if we are always choosing people who don't allow intimacy?

Is it because, deep down, we don't want intimacy? Or are we afraid we'd lose ourselves entirely if we let ourselves be loved?

Committed to not committing.

PREFAZIONE

Perché scegliamo sempre persone che non consentono l'intimità?

È perché, in fondo, non la vogliamo ? O è invece perché temiamo di perderci completamente se ci lasciamo amare?

Impegnati a non impegnarsi.

SEARCHING FOR GOREN

"Io sono qui, e non mi pesa la lunga attesa. Io ti aspetto",
said Mr Wonderful whilst looking at Gabrielle and kissing her gently on her forehead.

The singer was belting one of Madame Butterfly's most famous arias, Un bel dì, vedremo:

> *E non mi pesa*
> *La lunga attesa*
> *E uscito dalla folla cittadina*
> *Un uomo, un picciol punto*
> *S'avvia per la collina*
> *Chi sarà, chi sarà?*
> *E come sarà giunto*
> *Che dirà, che dirà?*

She smiled, not knowing what to say. Sometimes he could read her mind, and right now, she was sure he knew she had been miles away.

Madame Butterfly always had the power to take her back to the mini-sabbatical she had in New York and the performance she saw at the Metropolitan Opera in the Lincoln Center.

The auditorium combines old-world elegance with sleek contemporary, with around 3,800 seats and 245 standing-room positions. The acoustic is superb.
Grandiose.

ALL RICERCA DI GOREN

"Io sono qui, e non mi pesa la lunga attesa. Io ti aspetto", disse Mr Wonderful guardando Gabrielle mentre la baciava dolcemente sulla fronte.

Il soprano stava cantando una delle arie più famose di Madama Butterfly, *Un bel dì, vedremo*:

> *E non mi pesa*
> *La lunga attesa*
> *E uscito dalla folla cittadina*
> *Un uomo, un picciol punto*
> *S'avvia per la collina*
> *Chi sarà, chi sarà?*
> *E come sarà giunto*
> *Che dirà, che dirà?*

Gabrielle sorrise, non sapendo cosa dire. A volte poteva leggerle la mente e, in quel momento, era sicura che sapesse che non era stata presente, ma a miglia di distanza.

Madama Butterfly aveva sempre avuto il potere di riportarla al mini-sabbatico che aveva passato a New York e allo spettacolo che aveva visto all'Opera Metropolitan nel Lincoln Center.

L'auditorium del Lincoln combina l'eleganza del vecchio mondo con quella contemporanea; ha circa 3.800 posti a sedere e 245 posti in piedi. L'acustica è superba.

Grandiosa.

For Gabrielle, though, the Met is just too big. Instead, she prefers the Royal Opera House in London, with 2,256 odd seats offering a far more intimate experience.

Like New York - London. The VP and Mr Wonderful.

Madame Butterfly with the VP was a show, an occasion to get dressed, socialise and be seen.

With Mr Wonderful was a moment to cherish if she could only stop being dragged back.

Is the past ever gone? Memories intruded the present moment, fantasies dropping into the continuous present of our lives.

Everything is always present. Vivid imagining sometimes feels more real than reality itself.

How easy to be confused.

The New York trip kept popping in her mind, intruding.

A last-minute decision after a long-term relationship break-up. She needed to escape, an adventure, re-group and re-think what she would do.

On her taxi ride from the airport, she felt like a mini Indiana Jones on her first-ever trip alone, non-work-related. Not visiting anybody. Nothing planned. Just her and New York. Exhilarating and scary AF.

She had decided to go for three months, longer than the usual holiday but short enough not to need a working visa.
   It seemed like a good idea at the time.

Per Gabrielle, però, il Met è semplicemente troppo grande. Preferisce invece la Royal Opera House a Londra, con più o meno 2.256 posti che offre un'esperienza molto più intima.

Come New York - Londra. Il VicePresidente e Mr Wonderful.

Madama Butterfly con il VicePresidente era uno show, solamente un'occasione per vestirsi, socializzare e farsi vedere. Con Mr Wonderful era invece un momento da assaporare in pieno se solo fosse riuscita a smettere di essere trascinata indietro, nel passato.

Ma il passato è mai veramente passato ? I ricordi si intromettevano nel momento presente, fantasie intermittenti nel presente continuo delle nostre vite. Tutto è sempre presente. L'immaginazione vivida a volte più reale della realtà stessa.

Com'è facile essere confusi.

Il viaggio a New York continuava a saltarle in mente, invadendo.

Una decisione dell'ultimo minuto dopo la fine di una relazione a lungo termine. Aveva avuto bisogno di scappare, un'avventura, per riorganizzarsi e ripensare a cosa fare.

Durante la corsa in taxi dall'aeroporto, si era sentita come una piccola Indiana Jones nel suo primo viaggio da sola in assoluto, non un altro viaggio di lavoro. Nessuno da visitare. Niente pianificato. Solo lei e New York. Molto esilarante ma anche spaventoso.

Aveva deciso di andarci per tre mesi, più a lungo delle solite ferie ma abbastanza breve da non aver bisogno di un visto di lavoro.
Sembrava una buona idea in quel momento.

By the second month there, the novelty was wearing thin without a job or friends to meet and the VP at work during the day.

Gabrielle had walked Manhattan from top to bottom and east to west. She had almost memorised every street.

Well, it certainly felt like it.

She had met the VP on her first day there, and they had been going out ever since. He had taken her to all his haunts and introduced her to all the right people (HIS right people)
    —the perfect chaperon with benefits.

She was bored.

Holidays are relatively short periods that one plans. This New York trip had been unexpected, totally unplanned and without any schedule, and Gabrielle was always used to having something occupying her mind, side by side with a very active social life.

She was so bored that she started watching television far more than she was used to back home, flicking from channel to channel (far too many).

She often settled for the Law and Order franchise, something familiar to watch, always a fan of murder mysteries and crime dramas.

Gabrielle was particularly fond of Law and Order Criminal Intent and one of its characters: Detective Robert Goren, played brilliantly by character actor Vincent D'Onofrio.

Ma entro il secondo mese, senza un lavoro o amici da incontrare e il VicePresidente al lavoro durante il giorno, la novità si era esaurita. Gabrielle aveva camminato per Manhattan da cima a fondo e da est a ovest. Aveva quasi memorizzato ogni strada.

Beh, certamente sembrava così.

Aveva incontrato il VicePresidente il suo primo giorno a New York e si erano messi insieme da allora. L'aveva portata in tutti i suoi posti preferiti e l'aveva presentata a tutte le persone giuste (le SUE persone giuste), il perfetto accompagnatore con benefici aggiunti.

Ma adesso Gabrielle era annoiata.

Le vacanze sono periodi relativamente brevi che uno pianifica. Invece questo viaggio a New York era stato inaspettato, totalmente non pianificato, senza nessun programma, e Gabrielle era sempre abituata ad avere qualcosa che le occupava la mente, fianco a fianco con una vita sociale molto attiva.

Era così annoiata che aveva iniziato a guardare la televisione molto più di quanto fosse abituata a casa, passando da un canale all'altro in continuazione (troppi canali). Spesso guardava una delle franchise di Law and Order, qualcosa di familiare, era sempre stata una fan di gialli e drammi polizieschi.

Gabrielle amava particolarmente Law and Order Criminal Intent e uno dei suoi personaggi: il detective Robert Goren, interpretato brillantemente dall'attore Vincent D'Onofrio.

Detective Goren was tall, dark and handsome, moody and incredibly perceptive in a Sherlockesque deducing manner.

He also is totally screwed up in his relationships.

In other words: perfect and her usual type.

To pass her time, she started googling to find out where they were filming, if any filming was going on, and which actor was filming.

She considered going too.

Reddit seemed the place to find out together with every possible D'Onofrio/Goren sighting, the two more and more intertwined in Gabrielle's mind. An intelligent and attractive hero, right here in New York. Where she was right now.

She was almost living a double life.

By night living the sparkling NY City life with the VP.

By day searching the internet for the latest place where Goren had been seen:

- Bond St,
- Stuyvesant Town,
- Bleecker Street …

One day, she read that he was a regular in Tompkins Square Park, Christodora House, so she walked down from MidTown and stayed there for hours.

Il detective Goren era alto, bruno e bello, lunatico e incredibilmente perspicace in un modo deduttivo da Sherlock. Inoltre totalmente incasinato nelle sue relazioni.

In altre parole: perfetto e il suo solito tipo.

Per passare il tempo, aveva iniziato a cercare su Google per scoprire dove stavano girando il telefilm, se erano in corso le riprese e quale attore stava filmando. Lei aveva anche pensato di andare a vedere di persona.

Reddit sembrava il posto giusto per questo e per ogni possibile avvistamento di d'Onofrio/ Goren, i due sempre più intrecciati nella sua mente. Un eroe intelligente e attraente, proprio qui a New York. Dove lei si trovava adesso.

Stava quasi vivendo una doppia vita.

Di notte, l'alta vita di New York City con il VicePresidente.

Di giorno, cercando su Internet l'ultimo posto in cui Goren era stato avvistato:

- Bond St,
- Stuyvesant Town,
- Bleecker Street ...

Un giorno aveva letto che era un frequentatore abituale di Tompkins Square Park, Christodora House, e così era andata da MidTown fino a lì e si sera fermata per ore.

H-O-U-R-S.

Waiting.

Nothing happened, of course, besides that she had turned into a semi-stalker.

Then, on her way back to the TownePlace, she saw him. Right at the intersection of Third Avenue and 14th Street.

Goren was driving a big dark Range Rover.

Ok, no clue what car it was, a big one. Her heart was beating fast. She actually saw him. Live.

And, just like that, he was gone. Just like that, she had turned into an obsessed teenage stalker.
Splendid.

God knows what she thought she would do had she properly met him. Fall madly in love and move permanently to New York. Or him moving to London? She hadn't thought that far.

She was just searching for something and not finding it. She hated to admit that she was always going for emotionally or physically unavailable men.

What if she was always choosing people who don't allow intimacy? Was it because, deep down, she didn't want it?

O-R-E.

Aspettando.

Non successe niente, ovviamente, a parte il fatto che si stava trasformando in una semi-stalker.

Ma mentre stava tornando al TownePlace, lo vide.

Proprio all'incrocio tra la Third Avenue e la 14th Street.

Goren stava guidando una grande Range Rover scura.

OK, non aveva un' idea che macchina fosse, era una grossa. Il suo cuore iniziò a battere veloce. L'aveva visto davvero. Dal vivo.

E, proprio così, com' era apparso, se n'era andato. Proprio così, si era trasformata in una stalker adolescente e ossessionata.
   Splendido.

Dio solo sa cosa pensava di fare se lo avesse incontrato come si deve. Innamorarsi perdutamente e trasferirsi definitivamente a New York. O lui a Londra? Non aveva pensato a tanto.

Stava solo cercando qualcosa che non riusciva a trovare. Odiava ammettere che andava sempre con uomini emotivamente o fisicamente non disponibili.

E se sceglieva sempre persone che non consentivano l'intimità? Era perché, in fondo, non la voleva?

Or was she afraid she'd lose herself entirely if she let herself be loved?

Was SHE the one afraid?

How could she stop hooking up with emotionally unavailable people? People who can't actually love her.

And now, here she was, with Mr Wonderful.

Right here, right now, the most physically and emotionally available man she had ever met.

Totally devoted to her.

She could see a common denominator when she looked back at her quasi-relationships that didn't work out.

Herself.

The Working-Class Millionaire who worked very hard for his money. And the more he earned, the harder he had to work to balance out his low inner worth set point.

"He is a m-i-l-l-i-o-n-a-i-r-e" his mouth filling up.
    One of the very first things he ever told her.

He was constantly trying to surpass his father, a working-class immigrant who made a fortune post-war but he never believed he could.

She never understood how an investment banker had such an aversion to money and being wealthy.

O aveva forse paura di perdersi completamente se si fosse lasciata amare?

Era LEI quella che aveva paura?

Come poteva smettere di frequentare persone emotivamente non disponibili? Persone che non possono amarla davvero.

E ora, era qui con Mr Wonderful.

Proprio qui, in questo momento, fisicamente e emotivamente, l'uomo più disponibile che avesse mai incontrato.

Totalmente devoto a lei.

Quando ripensava alle sue quasi-relazioni che non avevano funzionato poteva vedere un denominatore comune.

Se stessa.

Il Milionario Operaio che lavorava molto duramente per i suoi soldi. E più guadagnava, più duramente doveva lavorare per bilanciare il suo basso valore interno.

"Lui è un m-i-l-i-o-n-a-r-i-o" le aveva detto con la bocca piena.

Una delle primissime cose che le aveva detto.

Cercava costantemente di superare suo padre, un immigrato della classe operaia che aveva fatto fortuna nel dopoguerra, ma non aveva mai creduto di poterlo fare.

All'epoca non poteva mai capire come un finanziere bancario avesse una tale avversione per il denaro e l'essere ricco.

Truth be told, he had never quite adapted to his new habitat.

But, on the other hand, Gabrielle was always striving to improve, and that attitude was inconceivable to her - she had left her village behind,
both mentally and physically.

She couldn't quite understand how one would want to remain a moth instead of becoming a butterfly.

The Stud was tall and muscular with deep green eyes, voluptuous lips, and a voracious sexual appetite.

The fact that he was several years younger than she made it even more exciting, talking about men-in-power-with younger totty in tow.

Except for this time, she was the one in power, for a change, and the man was the totty.

The thrill, coupled with the validation, was a potent aphrodisiac. And at the beginning, it was fun and exciting, but after a while, it became tedious; she wanted a proper relationship, not every weekend alone.

And even though all the signs were there, she ignored them.

He was a cancer survivor in remission who used his cancer as his Linus blanket.

Gabrielle had thought of leaving him so many times, and the sob story would come out each time.

In realtà, non si era mai adattato del tutto al suo nuovo habitat. Al contrario, Gabrielle cercava sempre di migliorare, e quell'atteggiamento era inconcepibile per lei - lei aveva lasciato il suo villaggio alle spalle,

mentalmente e fisicamente.

Non riusciva neanche a capire come uno volesse rimanere una falena invece di diventare una farfalla.

Lo Stallone era alto e muscoloso con occhi verde intenso, labbra voluttuose e un vorace appetito sessuale.

Il fatto che lui fosse diversi anni più giovane di lei rendeva l'avventura ancora più eccitante, come gli uomini al potere con più giovani trofei al seguito.

Tranne che questa volta, lei era quella in potere e l'uomo era il trofeo.

Il brivido, unito alla convalida personale, era un potente afrodisiaco. E all'inizio era stato divertente ed eccitante, ma dopo un po' diventato noiosa; voleva una relazione vera, non passare tutti i fine settimana da sola.

E anche se c'erano tutti i segni che qualcosa non andava, li ignorò.

Lo Stallone era un sopravvissuto al cancro in remissione che usava la sua malattia come Linus la sua copertina . Gabrielle aveva pensato di lasciarlo così tante volte, ma la storia strappalacrime veniva fuori ogni volta.

She had fallen for someone with so many red flags that he could have been an air traffic controller. But, giving him the benefit of the doubt, she continued to see him.

She didn't want to be the heartless cow that went him when he was down in the dumps, depressed.

Six months after they finally split, she came across a charity website and there it was: a picture of a couple who had a very successful fundraising event -
  The Stud and his girlfriend.

The problem was that the fundraising event took place when they were still together. Gabrielle had been THE OTHER WOMAN.

Then came the QC. The famous QC.

Smart, attractive, with his life, totally figured out. And someone with bigger balls than hers.
  But, perhaps, in insight, they were too big.

The QC was brilliant, and Gabrielle enjoyed their long debates, proud he was comfortable talking about his cases and asked her opinion.

His mind was absolutely mesmerising. His ego was equally ginormous. A man used to live life on his terms with people around him accommodating every single one of his whims.

That's how Gabriele liked it too. It was unbearable mainly because it was like looking in a mirror and not quite liking what you see.

Si era innamorata di qualcuno che aveva così tanti campanelli allarme che avrebbe potuto essere un controllore del traffico aereo. Ma, concedendogli il beneficio del dubbio, aveva continuato a vederlo.

Non voleva essere la stronza senza cuore che lo aveva mollato quando era giù di morale e depresso.

Sei mesi dopo che si erano finalmente lasciati, Gabrielle era capitata su un sito web per la beneficenza ed era lì: la foto di una coppia che aveva organizzato un evento di raccolta fondi di grande successo:

Lo Stallone e la sua ragazza.

Il problema era che quell'evento si era svolto quando loro erano ancora insieme. Gabrielle era stata L'ALTRA DONNA.

Poi è arrivato Il QC. Il famoso QC.

Intelligente, attraente, completamente in controllo della sua vita. E uno con le palle più grandi delle sue. Ma, forse, con il senso del dopo, erano troppo grandi.

Il QC era brillante e Gabrielle apprezzava i loro lunghi dibattiti, orgogliosa che lui si sentiva a suo agio nel parlare dei suoi casi e che chiedeva la sua opinione.

La sua mente era assolutamente ipnotizzante. Il suo ego altrettanto gigantesco. Era un uomo abituato a vivere la vita alle sue condizioni, e tutti intorno a lui assecondavano ogni suo singolo capriccio.

Sfortunatamente piaceva così anche a Gabrielle. Era una situazione quasi insopportabile principalmente perché era come guardarsi allo specchio e non apprezzare quello che si vede.

The Champagne Socialist followed. Another mirror but, this time, not liking that much what you see. Perfection is so hard to achieve, and trying to be perfect all the time is exhausting.

Perfectionitis is a terrible disease.

Always striving, never arriving.

Gabrielle had kept looking, convinced that she'd find someone who wanted to be with her because she was *special*.

Like the Champagne Socialist: working-class, uber gifted, scholarship for Eton, EVP in one of the Big 4 consulting firms, and still suffering from Impostor Syndrome.

They were the same man. They were HER. Gabrielle was afraid of getting hurt. It was not them.

It was her.

Truly opening up to someone and having them reciprocate is an intimate bond. What if the relationship fails?

They were perfect and the safe option. Since they were guarding their emotions closely, there was a decreased risk of emotional engagement. A.K.A. getting hurt.

Gabrielle couldn't deny that the thrill of the dating chase was fun.

Wanting what you cannot have it's a never-ending, dead-end chase with intermittent positive reinforcement. Up and down. Reward and withdrawal.

Committed to not committing.

Dopo c'era stato Il Socialista Champagne. Un altro specchio per lei ma, questa volta, quello che rifletteva era anche peggio. La perfezione è così difficile da raggiungere e cercare di essere sempre perfetti è estenuante.

La perfezionite è una malattia terribile.

Cercare sempre senza mai arrivare.

Gabrielle aveva continuato nella sua ricerca, convinta di trovare un giorno qualcuno che volesse stare con lei perché era *speciale*.

Come lo Socialista Champagne: classe operaia, super dotato, borsa di studio per Eton, Vice Presidente Esecutivo in una delle quattro grandi società di consulenza, e ancora affetto dalla sindrome dell'impostore.

Tutti erano stati lo stesso uomo. Tutti erano LEI. Gabrielle temeva di essere ferita. Non erano loro. Era lei.

Aprirsi *veramente* con qualcuno e loro ricambiare è un legame intimo. E se la relazione fallisse?

Loro erano stati perfetti e l'opzione sicura. Dal momento che tenevano le loro emozioni sotto controllo, c'era meno rischio di un coinvolgimento emotivo. ALAS di esser feriti.

Gabrielle non poteva negare che il brivido della caccia e nuovi rendez-vous fosse divertente.

Volere ciò che non puoi avere è un inseguimento senza fine ma senza uscita che ti da rinforzi positivi intermittenti. I su e i giù. Premio e ritiro.

Impegnata a non impegnarsi.

And in New York, she was living a fantasy in her head that didn't require putting in an effort to make an *actual* relationship work.

So the VP was the holiday fling and Goren, Goren, was the ultimate emotionally unavailable person, someone she "couldn't have" because he didn't actually exist.

A television character brilliantly interpreted. That's all.

And now this fantastic man was in her life, and she couldn't find any faults. He was present and engaging in a more profound, authentic and emotional way. Mr Wonderful had never made any promises that he hadn't kept. He was there, fully, completely, emotionally and physically available.

> *Ed egli alquanto in pena*
> *Chiamerà, chiamerà*
> *"Piccina, mogliettina*
> *Olezzo di verbena"*
> *I nomi che mi dava al suo venire*
> *Tutto questo avverrà, te lo prometto*
> *Tienti la tua paura*
> *Io con sicura fede l'aspetto*

As the heartbreaking song was coming to an end, a tear started rushing down her cheek.

"It's ok", he said, "it's ok .
   Io sono qui, e ti aspetto."

E a New York, stava vivendo una fantasia che non richiedeva uno sforzo necessario per una *vera* relazione. Il VicePresidente un'avventura delle vacanze e Goren, Goren, era la persona emotivamente non disponibile per eccellenza, qualcuno che "non poteva avere" perché in realtà non esisteva.

Un personaggio televisivo brillantemente interpretato. Tutto qua.

E ora, questo uomo eccezionale era nella sua vita, non riusciva neanche a trovargli alcun difetto. Era presente e si impegnava in un modo più profondo, autentico e pieno di emozione.

Mr Wonderful non aveva mai fatto promesse che non avesse mantenuto. Era lì, completamente, completamente, emotivamente e fisicamente disponibile.

> *Ed egli alquanto in pena*
> *Chiamerà, chiamerà*
> *"Piccina, mogliettina*
> *Olezzo di verbena"*
> *I nomi che mi dava al suo venire*
> *Tutto questo avverrà, te lo*
> *prometto*
> *Tienti la tua paura*
> *Io con sicura fede l'aspetto*

Mentre la canzone straziante stava raggiungendo verso la fine, una lacrima iniziò a scorrerle lungo la guancia.

"Va bene", le disse, "va tutto bene. "
   Io sono qui, e ti aspetto".

AFTERWORD

Consciousness itself creates the material world. The linear passing of time in stark contrast with the seemingly random crossing of time in our consciousness.

And the stream is constant.

Everything is NOW. And memories provide a constant connection to events, places and people.

There are infinite possibilities that the world can offer at every moment .

Choose wisely.

Laura xxx

EPILOGO

La coscienza crea il mondo materiale.

Lo scorrere lineare del tempo in netto contrasto con l'attraversamento apparentemente casuale del tempo nella nostra coscienza. E il flusso è costante.

Tutto è ADESSO.

I ricordi forniscono una connessione costante con eventi, luoghi e persone. Ci sono infinite possibilità che il mondo può offrire in ogni momento.

Scegli saggiamente.

Laura xxx

DISCLAIMER

Searching for Goren is a work of fiction.

Although its form is that of a recollected autobiography, it is not one.

With the exception of public places any resemblance to persons living or dead is coincidental. Space and time have been rearranged to suit the convenience of the book, memory has its own story to tell.

The opinions expressed are those of the characters and should not be confused with the author's.

DICHIARAZIONE DI NON RESPONSABILITÀ

Alla Ricerca di Goren è un'opera di finzione.

Sebbene la sua forma sia quella del diario di viaggio/semi-autobiografia, non lo è.

Ad eccezione dei luoghi pubblici, qualsiasi somiglianza con persone vive o morte è casuale. Spazio e il tempo sono stati riorganizzati per adattarsi alla comodità del libro, la memoria ha una sua storia da raccontare.

Le opinioni espresse sono quelle dei personaggi e non vanno confuse con quelle dell'autrice.

BONUS READING FROM THE NEXT ADVENTURE

"How are you this morning?" Mr Wonderful enquired. His voice had an underlying worrying tone.

Gabrielle had to do something to reassure him. Her mind wandered off and on all evening.

London - New York -London- New York. A round-the-world trip in one single evening. Better still, a round-the-world trip in her memories and back.

She felt so guilty.

New York had been an essential step in her life. The action that ultimately got her here today.

Becoming the woman she was today, albeit still a work in progress.

BONUS LETTURA DALLA PROSSIMA STORIA NELLA SERIE

"Come stai questa mattina?" chiese Mr Wonderful. La sua voce aveva un tono preoccupato.

Gabrielle doveva fare qualcosa per rassicurarlo. La sua mente aveva vagato per tutta la sera.

Londra - New York - Londra - New York. Un giro del mondo in una sola sera. Meglio ancora, un giro del mondo nei suoi ricordi e ritorno.

Si sentiva così in colpa.

New York era stato un passo importante nella sua vita. Il passo che alla fine l'aveva portata qui, oggi.

A diventare la donna che era oggi, anche se ancora un lavoro in corso.

Three months were, she did not have the single-vision focus of her career but allowed herself to grow. In whichever direction.

A last-minute decision to take a New York trip after a long-term relationship breakup turned out to be one of her best decisions to date.

Besides giving her phone number to Mr Wonderful.

That was for sure her best decision. But New York was a close second.

Three months in a different city, another country, led to further thinking. But, you take yourself wherever you go, and Gabrielle did just that initially and started a brief affair post-arrival that lasted almost two months.

But eventually, she came to her senses…

———

This **BONUS** reading is an extract from the next adventure of Gabrielle. The story continues with **Tasting Freedom.**

As her trip to New York comes to an end, her shackles are falling and Gabrielle begins to taste, finally, freedom.

Tre mesi in cui non aveva avuto una visione singola sulla carriera, ma si era permessa di crescere. In qualsiasi direzione.

Una decisione presa all'ultimo minuto di andare a New York dopo la rottura di una relazione a lungo termine che si è rivelata una delle sue migliori decisioni fino ad oggi.

Oltre a dare il suo numero di telefono a Mr Wonderful.

Quella era stata sicuramente la sua decisione migliore. Ma New York era ferma al secondo posto.

Tre mesi in una città diversa, in un paese diverso, che l'avevano spinta ad ulteriori riflessioni. Alla fine è vero che ti porti ovunque tu vada e Gabrielle lo aveva proprio fatto all'inizio e ha iniziato una breve relazione dopo l'arrivo che è durata quasi due mesi.

Ma alla fine era tornata in sé.

———

Questa lettura **BONUS** è un estratto dalla prossimo avventura di Gabrielle. La storia continua con **Assaporando la Libertà.**

Mentre il suo viaggio a New York volge al termine, le sue catene mentali cominciano a cadere e Gabrielle inizia ad assaporare, finalmente, la libertà.

GABRIELLE COMPLETE ADVENTURES

The Nine Lives of Gabrielle is a powerful **contemporary romance** focusing on **city life** with a dab of **billionaire office romance** and a **strong female lead** with backbone, a big heart and a stubborn streak. It will make you laugh, reflect, cry and gasp while enjoying the excitement of the Big Apple, dreaming of Paris and longing for London.

The Nine Lives of Gabrielle è una storia d'amore travolgente e un viaggio alla scoperta di sé - la storia d'amore perfetta per farti ridere (a meno che tu non abbia il senso dell'umorismo ;-)), riflettere, sussultare e forse versare una piccola lacrima mentre scopri emozioni nella Grande Mela, sogni a Parigi e hai nostalgia per Londra.

Available in English & Italian/

Disponibile in Inglese & Italiano

ALSO BY LAURA MARIANI - ENGLISH

I don't care if you don't like me: I LOVE ME - 28 ways to love yourself more", - a self-love book with guided practices for women inspired by my contemporary romance book, **The Nine Lives of Gabrielle,** and the journey of self-discovery and self-love of the protagonist, Gabrielle.

*I don't care if you don't like me: I LOVE ME - 28 ways to love yourself more - un libro per amare se stessi con pratiche guidate specialmente per donne ispirato dal romanzo d'amore contemporaneo **The Nine Lives of Gabrielle,** e il viaggio alla scoperta di sé stessa della protagonista, Gabrielle.*

Here you will find 28 quick and easy ways to love yourself more every day with techniques that you can try out and then adopt going forward.

Qui troverai 28 modi semplici e veloci per amarti di più ogni giorno con tecniche che puoi provare e poi adottare in futuro.

Day by day, all these little practices stack up and compound, creating a domino effect, not visible at the beginning but with a massive impact as you move along.

Giorno dopo giorno, tutte queste piccole pratiche si accumulano e si combinano, creando un effetto domino, non visibile all'inizio ma con un impatto enorme man mano che avanzi.

Available in English/Disponible in Inglese

AUTHOR'S NOTE / NOTA DALL'AUTRICE

Thank you so much for reading *Searching for Goren.*

Grazie mille per aver letto Alla Ricerca di Goren.

I hope you found reading this short story useful for *remembering* your language skills and you also enjoyed the story .

Spero che questa novella vi sia piaciuta e l'abbiate trovata utile per ricordare le vostra capacità linguistica.

A review would be much appreciated as it helps other readers discover the story and the series. Thanks.

Una recensione sarebbe molto apprezzata in quanto aiuta altri lettori a scoprire la storia e la serie. Grazie.

If you sign up for my newsletter you'll be notified of giveaways, new releases and receive personal updates from behind the scenes of my business and books.

Se ti iscrivi alla mia newsletter, sarete informati di omaggi, nuove uscite e riceverete aggiornamenti personali da dietro le quinte della mia attività e dei miei libri.

Go to/ *Visita* www.thepeoplealchemist.com to get started/ *per cominciare.*

Places in the book

I have set the story in real places in New York and at a time in the past which might not be still operational.

You can see some of the places here:

Luoghi nel libro

Ho ambientato la storia in luoghi reali a New York. Puoi scoprire di più su di loro o anche visitare:

- Royal Opera House, London
- The Metropolitan Opera, New York
- Times Square
- TownePlace Suites, Manhattan/Times Square
- NYC West Village

Bibliography

I read a lot of books as part of my research. Some of them together with other references include:

Bibliografia

Ho letto molti libri come parte della mia ricerca. Alcuni di loro insieme ad altri riferimenti includono:

Psycho-Cybernetics - **Maxwell Maltz**

The Complete Reader - **Neville Goddard**

Law and Order : Criminal Intent - American crime drama television, third series in Dick Wolf's successful Law and Order franchise. Detective Robert Goren is one of the main original character played by actor Vincent D'Onofrio, a modern tortured but brilliant Sherlock Holmes like figure.

Law and Order : Criminal Intent - *Serie televisiva poliziesca americana, terza nella franchise Law and Order di Dick Wolf. Il detective Robert Goren è uno dei principali personaggi originali interpretati dall'attore Vincent D'Onofrio, una figura moderna, tormentata ma brillante, simile a quella di Sherlock Holmes.*

Printed in Great Britain
by Amazon

26161773R00030